Klavertje Een-serie

de leeuw

de heks

hoor jij dat ook?

ik zoek een muis!

een paard in de tuin

wat zit er in die doos?

de hut

het spook

pien wil een pony

bas en de reus

bas en brit serie (5 delen)

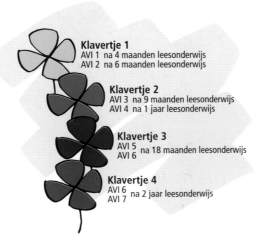

Klavertje 1
AVI 1 na 4 maanden leesonderwijs
AVI 2 na 6 maanden leesonderwijs

Klavertje 2
AVI 3 na 9 maanden leesonderwijs
AVI 4 na 1 jaar leesonderwijs

Klavertje 3
AVI 5
AVI 6 na 18 maanden leesonderwijs

Klavertje 4
AVI 6
AVI 7 na 2 jaar leesonderwijs

bas
en de
reus

merel leene

tekeningen
iris boter

KLUITMAN

Nieuwe systeem:

LEES N!VEAU

		ME	ME	ME	ME	ME	
AVI	S	3	4	5	6	7	P
CLIB	S	3	4	5	6	7	8	P

Vrienden I Lezen

Toegekend door Cito i.s.m. KPC Groep

Zie verder www.kluitman/educatief.nl

Nur 287/L020701
© Uitgeverij Kluitman Alkmaar B.V.
Omslagontwerp: Design Team Kluitman

www.kluitman.nl

bas ligt in bed.
het is heel laat.
maar bas hoort wat.
boem!
boem!
wat is dat?
bas weet het niet.

nu zit bas in bed.
maar hij hoort niks meer.
wat gek!

boem!
boem!
daar is het weer.
heel hard.
het bed gaat heen en weer.
de muur ook.
wat kan dat zijn?
bas loopt naar het raam.

hij kijkt.
het is stil op de weg.
bas ziet de maan.
er is niks raars.
maar dan hoort hij het weer.
boem!
boem!
boem!
het is vlak bij bas!

dan geeft bas een gil.
hij ziet een man.
de man is heel groot.
zo groot als een huis.
zijn voet staat op een hek.
krak, het hek is plat.
de man ziet het niet eens.
het is een reus!

de reus doet een stap.
en nog een stap.
hij komt op bas af.
bas wil weg.
maar dat kan niet.
wat zal de reus doen?

de reus is bij het raam van bas.
hij staat stil.
bas kijkt naar de reus.
wat ziet hij nou?
dat lijkt wel een traan.
en nog een traan.
de reus huilt!

bas zegt:

„wat is er, reus?

je kijkt zo sip."

de reus haalt zijn neus op.

er valt een traan.

nu ligt er een plas in de tuin.

de reus hikt.

„ik ben heel dom.

ik kan niks!"

bas kijkt naar de reus.
„wat is er dan?"
de reus zegt:
„ik hou van toos.
zij is ook een reus.
haar neus is rood.
haar mond is groot.
haar buik is rond.
net als haar…"
de reus hoest.
„toos is heel mooi.
nu wil ik een brief voor toos.
die stuur ik naar haar toe.
maar hoe maak ik een brief?
dat kan ik niet."

12

„o," zegt bas.

„ik maak wel een brief.

dat kan ik.

ik ga al naar school."

„ja?" zegt de reus blij.

„dat is tof.

ik geef je een zoen!"

„laat maar," zegt bas.

„ik help je zo wel."

bas pakt een vel.
en hij zoekt een pen.
„nee," zegt de reus.
„die brief is veel te klein.
toos is ook een reus.
dat kan zo niet."
bas kijkt naar het vel.
dat is waar.
het vel is te klein.

bas pakt er nog een paar.
het is wel een arm vol.
dan zoekt hij de lijm.

bas loopt de trap af.
heel stil.
hij gaat het huis uit,
naar de tuin.
daar zit de reus.
in het gras ligt een plas.

„zeg reus," vraagt bas.

„wat moet er in die brief?"

de reus is een tijd stil.

dan roept hij: „ja!

ik weet het!

dag toos.

hoe gaat het met jou?

je bent lief.

ik hou van jou.

hou jij ook van mij?

een zoen op je neus.

van de reus."

bas pakt de pen.
„kijk, reus.
zo doe je dat."
bas pakt een vel.
hij maakt een d.
de d is groot.
een d voor een reus.
dan een a.
en een g.
nu is het vel vol.

bas pakt nog een vel.
hij maakt een t.
een oo en een s.
dan doet bas lijm op het vel.
zo maakt hij het vast.
bas zegt:
„is het zo goed, reus?"
de reus kijkt sip.
„ik weet het niet.
wat staat daar?"
bas leest het voor.
„hier staat: dag toos."

18

dan is de brief klaar.
hij is heel groot.
zo groot als de tuin.
de reus is blij.
hij zegt:
„dank je wel, bas.
de brief is heel mooi.
ga je mee?
we doen hem op de post.
klim maar op mijn rug."

19

bas zit heel hoog.
hij zit op de nek van de reus.
het is wel zo hoog als het dak.
bas pakt het haar van de reus.
zo valt hij niet.
„loop maar, reus!"

de reus doet een stap.
boem!
en nog een stap.
boem!
„dit is gaaf!" roept bas.

de reus loopt door het park.
maar hij kijkt niet goed uit.
daar staat een boom.
de reus ziet hem niet.
krak!
de boom valt om.

de reus loopt door.
nu komt hij bij een hek.
„pas op, reus!" roept bas.
„ga er niet op staan."
de reus doet een stap.
de stap is heel groot.
het gaat net goed.
„pfff," zegt bas.

bas en de reus zijn bij de bus.
de brief past er in.
het gaat maar net.
nu is de bus vol.
er kan niks meer bij.

„zo," zegt de reus.
„de brief gaat nu naar toos.
en jij moet naar bed, bas."

de reus keert om.
hij loopt naar het huis van bas.
daar zet hij bas door het raam.

bas gaat in zijn bed.
hij gaapt.
„dag reus," zegt bas.
„dag bas," zegt de reus.
„tot ziens!"

het is dag.
maar bas ligt nog in bed.
„bas!" roept pap.
„waar blijf je nou?
het is al laat.
je moet naar school."

bas gaat uit bed.
wat is hij moe!
hij gaapt.
dan loopt hij de trap af.

bas gaapt nog eens.
pap kijkt hem aan.
„wat is er, bas?
hoe kom je zo moe?"

bas zegt:
„er was een reus.
hij moest een brief.
die was voor toos.
dat is ook een reus.
het was veel werk.
dus nu ben ik moe."

„bas, bas," zegt pap.
„dat kan niet, hoor.
doe niet zo raar.
er was hier geen reus.
en ook geen brief.
het was vast een droom.
eet nu maar snel.
en dan vlug naar school."

na een week gaat de bel.
pap loopt naar de deur.
het is de man van de post.
hij heeft een pak.
het is heel groot.

voor
bas

pap kijkt er in.
„wat is dat nou?
dat kan toch niet?"
in het pak zit een plaat.
„kijk eens, bas!" roept pap.

op de plaat ziet bas de reus.
hij heeft een hoed op.
naast de reus staat een bruid.
haar neus is rood.
haar mond is groot.
haar buik is rond.
en de rest ziet bas niet.

pap kijkt heel raar.
„dus het was waar."
„zie je nou wel!" roept bas.